Peyo CREATIONS

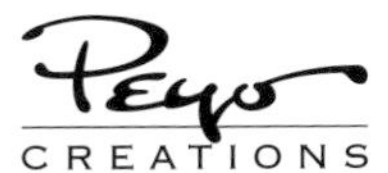

L'UNIVERS DES SCHTROUMPFS

Des monstres et des Schtroumpfs

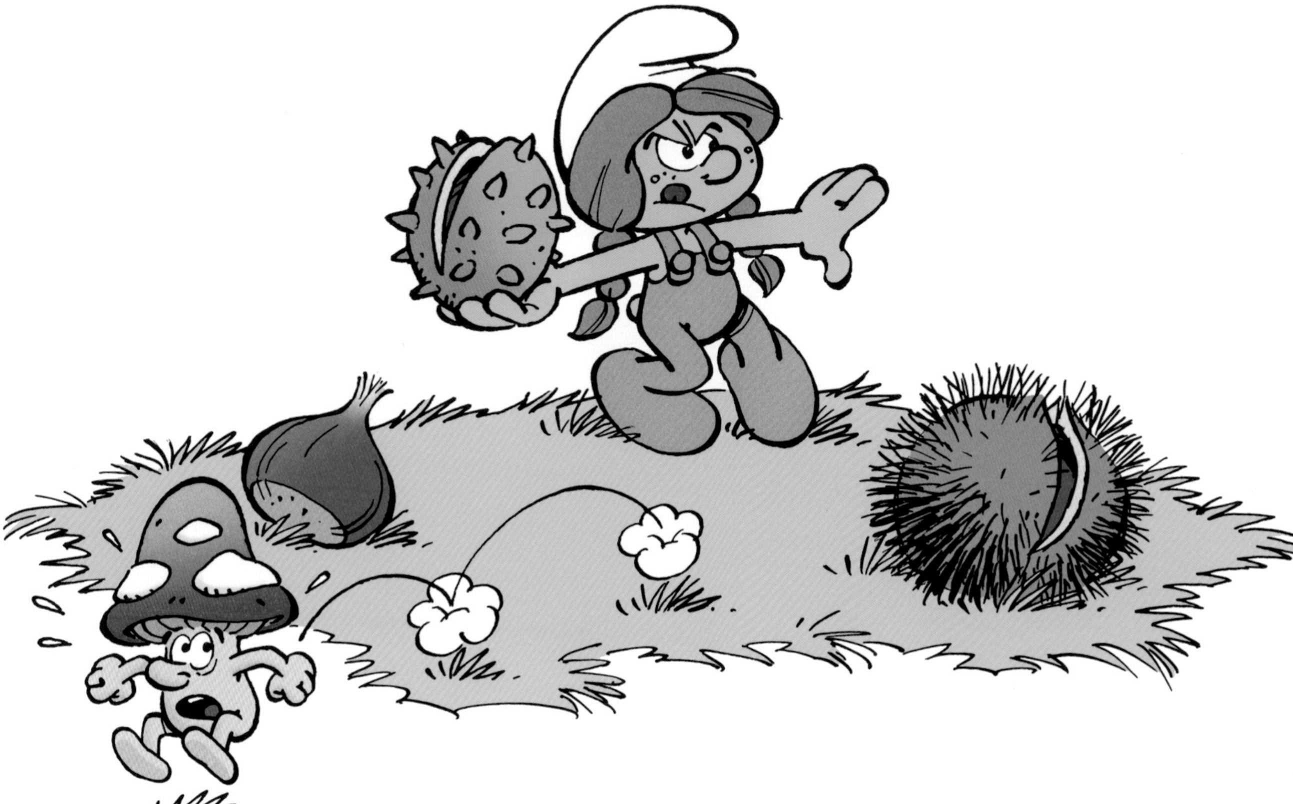

LE LOMBARD
BRUXELLES

Première édition

Représenté par :
I.M.P.S. s.a.
Rue du Cerf 85
1332 Genval
Belgique

D/2014/0086/285
ISBN 978-2-8036-3420-0

Dépôt légal : août 2014
Imprimé en Belgique par Lesaffre

LES ÉDITIONS DU LOMBARD
7, AVENUE PAUL-HENRI SPAAK
1060 BRUXELLES - BELGIQUE

Pour être tenu informé de la date de parution
du prochain album, profitez de notre service d'alerte.
Rendez-vous sur www.lelombard.com/alertes.

W W W . L E L O M B A R D . C O M

www.schtroumpf.com

Les Glands d'or

LES GLANDS D'OR

J'ai aussi une bague de vérité ! Elle s'allume si quelqu'un vous dit la vérité !
Je la veux ! C'est génial !!

Je vous dis que je ne suis pas malââââde ! SCROGNEUGNEU !
Calmez-vous !

Nous avons perdu du temps, et le chemin est long ! Schtroumpfez-moi !

AïE ! Le chemin se divise ici en deux sentiers ! De quel côté schtroumpfer?
Schtroumpfons la question à ce drôle d'oiseau?

Si vous voulez trouver le vieux chêne, vous devez schtroumpfer le sentier de gauche ! KÊÊK KÊÊÊK !
Que schtroumpfe ta bague de vérité, Sassette?
Elle s'allume ! Il dit vrai !

Soyez prudents, car de grands dangers vous guettent ! KÊÊÊK KÊÊÊK
Je n'ai pas peur !

?
Qu'est-ce que c'est?
N'ayez crainte ! Ce sont des boules de force ! Attrapez-en quelques-unes, elles nous aideront à schtroumpfer bien des obstacles !
HOP!

Hop ! Moi, j'en ai schtroumpfé deux !
Zut ! Moi, je n'en ai qu'une !

Le sentier s'arrête ici ! Le pont est schtroumpfé !
Schtroumpfez-moi ! Les boules de force décuplent notre énergie ! SAUTEZ !
HOP!
© Peyo
2

Vous... vous croyez que je peux faire ça avec une seule boule de force ?
Oui, car tu es plus légère ! Vas-y !

Allons-y ! Petite boule, aide-moi !

HÂÂÂ ! J'ai lâché la boule !!
SASSETTE !
HAAAAAAAAAA

Elle s'en est tirée !
OUF !

Je vais aller la schtroumpfer !
ZZZZ

Schtroumpfe-moi la main, Sassette !
Oui !

Tout va bien !
Bravo, Schtroumpf Costaud !

Regardez, les petites boules schtroumpfent avec nous !
Elles s'apprivoisent très vite !

Le torrent a schtroumpfé notre chemin !
Il y a un gué ! Les gentilles boules nous schtroumpfent la voie !
© Peyo
3

HÂÂÂÂÂÂ ! LE MONSTRE DES TORRENTS !!
BRÂÂÂ
BHRÂÂÂÂÂ

Hiiiiiii ! À L'AIDE !
BRUBRUBRÛÛÛ

LÂCHE-LA, GROS MONSTRE !
BRAVO !
PIF
PAFPIF

VITE ! Par ici !!

OUF ! J'ai eu peur !
Mais non, je suis là, moi !
On ne pourra pas schtroumpfer à la nage jusqu'à l'autre rive, le torrent est trop fort... Que faire ?

Mon épée magique aura vite raison de ce tronc pourri ! HAN !
TCHAK
TCHAK
TCHAK

Et voilà le travail !
CRAAAAC
Tu es un as, Schtroumpf Costaud !

Nous avons un pont ! Schtroumpfons-nous !

Par ici, le sentier schtroumpfe de ce côté !
YOUP !
?
!

SACRILÈGE ! Ils ont coupé un de nos arbres !
GRRRRR ! Allons prévenir l'Esprit de la forêt !
4

J'ai l'impression qu'on nous observe !
Crois-tu ?
Oh, le beau champignon ! J'ai faim, moi ! Miam-miam !

Tu ne vas pas me manger, non ?! Espèce de cannibale !!!
?

Un champignon qui parle !
À moi, mes frères !

Nous sommes encerclés par ces étranges champignons !
Boules de force, aidez-nous !
GRRR
BRÂÂÂ
GR
BRÂÂÂ
BRÂÂÂ
GR
GRRR

HOUHOUHOU
C'est un hibou !
Nos amies nous abandonnent !
?

Je suis l'Esprit de la forêt ! Vous m'avez offensé en coupant l'un de nos vieux arbres !
Je... je peux vous expliquer !
HOU-HOU
?

Je suis le Grand Schtroumpf ! Nous cherchons des glands d'or pour schtroumpfer la vie de notre Vieux-Vieux Schtroumpf qui est bien malade, snif... !

Homnibus m'a parlé de vous ! Je vous pardonne ! Un de mes champignons vous conduira à la clairière où se dresse le plus vieux chêne !
Merci, Majesté !

Bonne chance ! Je veillerai sur vous !
Il n'a pas menti ! Ma bague s'allume !
Suivez-moi !

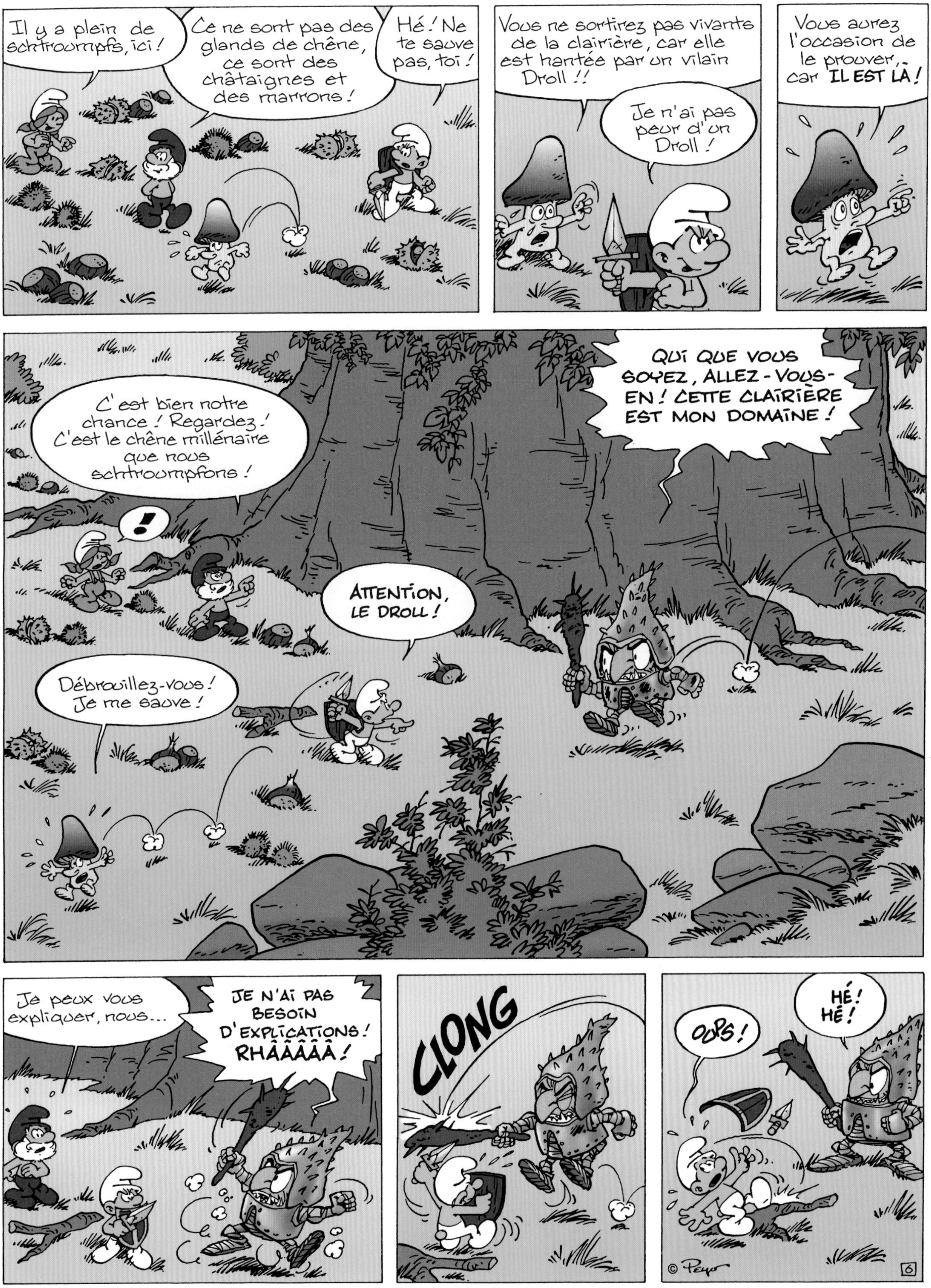

QUI QUE VOUS SOYEZ, ALLEZ-VOUS-EN ! CETTE CLAIRIÈRE EST MON DOMAINE !
C'est bien notre chance ! Regardez ! C'est le chêne millénaire que nous schtroumpfons !
!
ATTENTION, LE DROLL !
Débrouillez-vous ! Je me sauve !

Le principal est que vous schtroumpfiez en pleine forme, mais que faire des glands d'or ?

Plantez-les près de votre village !

7

© Peyo

Quelques jours plus tard, au village...
On a planté les glands ici, mais ça ne schtroumpfe pas vite, aussi je vais schtroumpfer mon engrais magique superpuissant !
Pourtant, j'arrose schtroumpfement !
Plic Plic

POUF

Ça a schtroumpfé ! Il a schtroumpfé comme par enchantement !

Viens danser, Schtroumpf Grognon, il faut fêter ça !
C'EST LE SCHTROUMPF SCHTROUMPF SCHTROUMPF QUI FAIT SCHTROUM
GRMBL !

Moi, je n'aime pas danser !
SCHTROUMPF SCHTROUMPF TRA LALA LALÈÈRE

?
CLOP

Miam, ça doit être bon à schtroumpfer, un gland d'or ! Miom... miom !
Ne fais pas ça, malheureux !

C'est un peu dur, mais c'est bon...
CROC

POUF

Il est devenu tout petit !
C'est un effet secondaire, il reschtroumpfera vite sa taille !

Il pleure parce qu'il a faim ! Je vais lui schtroumpfer un biberon !
OUIIIN J'AI FAIM !

Fais ton rot, Schtroumpf Gourmand !
BURP

Un peu plus tard...
Oh, il a déjà grandi !
Oui, mais il a toujours faim ! Il schtroumpfe six biberons à l'heure, et un bol de compote... Quel travail !
OUIIIIN
FIN
© Peyo

Le Château de glace

LE CHÂTEAU DE GLACE

Il a lâché le faon ! Il tombe ! Je l'aurai avec ma longue tresse !

N'aie pas peur, petit !
Bravo, soeur Anne !

Je te protégerai ! Tu as vu comme je suis habile avec ma tresse ! Hi, hi !

Je me demande qui habite cet étrange château de glace vers lequel se dirige ce vilain oiseau !
Ne traînons pas ici si nous voulons trouver l'oiseau bleu qui ramènera un peu d'espoir dans notre pauvre pays !

HAGN
CRATSCH
CRRRT

HOLÀ !
HUUU HUUUUU
HIIIIIII
CRAAAK

À L'ATTAQUE, LES GLAGLAKS !
YAAA
GLAK !

RENDEZ-VOUS ! Vous êtes pris ! Hi ! Hi ! Hi !
Inutile de résister ! Hé ! Hé ! Hé !
HU HU HUUU
CLANG
HGN
AÏE
HU HUUU
PIF PAF
AÏE

Ligotez-les et emmenez-les au château de notre maître, Barbemauve, seigneur du château de glace ! GLAK !
2

Sois maudit, Sorcier des glaces !

Et la fille, Maître, qu'est-ce qu'on en fait ? Voyez ses longs cheveux d'or ! Hô ! Hô ! Hô !

En effet !

AÏE

Promets-moi de rester en mon château et tes frères vivront !
J'en fais serment !

Mais que faites-vous ?!
Ils gardent la vie mais je les transforme en statues de glace ! Par Belzébuth ! **ABRACADABRA !!**
POUF

Ainsi, tu ne seras pas tentée de fuir si je dois m'absenter ! Hé ! Hé ! Hé !

Je veux garder mon faon ! Bhouhouhou... Snif !
Apportez leurs armes et dressez-les dans la cour du château !

N'ont-ils pas fière allure ainsi ? Hi ! Hi ! Hi !
Bouhouhou... Méchant homme !

Allons, je ne suis pas si méchant. Je te laisse toutes les clés du château ! Tu peux ouvrir toutes les portes et prendre tous les bijoux et l'or que tu trouveras !
À quoi bon, snif...

Tu peux ouvrir toutes les portes, **SAUF** celles de la tour ! C'est **INTERDIT** ! Si tu cèdes à la curiosité, tant pis pour toi et tes frères, **COMPRIS** ?

Vous... vous me laissez seule ?
Mes Glaglaks me signalent une caravane à dévaliser ! Je ne serai pas long ! Hé ! Hé !

Et rappelle-toi ce que tu as promis, sinon... ! Ha ! Ha ! Ha !

J'ai juré de rester ici, mais toi, mon faon, tu n'as rien promis, n'est-ce pas !

HU HU HUUU

Je vais lui attacher un message au cou pour demander du secours !
SCRITCH SCRATCH

Va, mon brave faon, et porte ce pli au premier village !
HU HU HUUU
4

Bonne chance, bébé !

FLAP FLAP FLAP
AAAIÏIRRK
?

CRÂÂÂÂC PLOUF

AAIÏIRK

AAIÏIIK

PLAF
HUUU HUUU

Un peu plus tard...
Aidez-moi à schtroumpfer les morceaux de glaces qui schtroumpfent près du barrage !
?
HUU HUU HUUU

Un faon ?! D'où sort-il ?
De la rivière souterraine ! Aidez-moi à le schtroumpfer ! Il va se noyer !
?
HU HU HÛÛÛ

Viens par ici, petit schtroumpf, tu es schtroumpfé !
© Peyo

OH ! Regardez ! Un message est schtroumpfé à son cou !
5

C'est une damoiselle Anne et ses trois frères qui schtroumpfent de l'aide car ils sont prisonniers au château de glace !
Ils sont en grand danger ! Le Seigneur des glaces est un ogre cruel ! Il faut agir vite !

Un peu plus tard...
Je connais un raccourci pour schtroumpfer au château de glace ! Nous y schtroumpferons plus vite !
Est-ce bien prudent ? Le Grand Schtroumpf dit toujours que...
Tais-toi, Schtroumpf à Lunettes !

Il n'y a pas de gardes et la brume nous fera schtroumpfer inaperçus ! On schtroumpfera par le soupirail !

¡¡¡ÂÂÂRK
L'OISEAU GRIS ! ATTENTION !
?

PLAF
OUF !
Hi ! Hi ! Bien fait !

Ce sont sans doute les trois frères à qui le Seigneur des glaces a jeté un mauvais sort, comme le schtroumpfe la sœur Anne dans son message !
!
?

Mais où est-elle, cette sœur Anne ?
Écoutez ! Ça vient de la tour ! La porte est ouverte !
BOUHOU HOUUU SNIF SNIF

C'est sûrement elle ! Elle pleure là-haut !
BOUHOUHOU SNIF SNIF
Les filles, ça schtroumpfe toujours des larmes de schtroumpf !
?

Mon cher petit faon ! Tu es revenu ! Ooh ! Mais... qui êtes-vous ?
Nous avons reçu votre lettre ! Nous venons vous sauver !
HU HU HU

Hélas... snif... Je crains qu'il ne soit trop tard ! Par curiosité, j'ai trahi ma promesse et j'ai ouvert la porte de la tour, et... et voyez ce que j'ai découvert... snif, snif...
6

Voilà ce que fait Barbemauve à toutes les malheureuses trop curieuses ! Je suis perdue !
Oh ! L'infâme !
Ce monstre leur a schtroumpfé les cheveux !
BEA
JUDITH
RUTH
MARIAN

HOUUU HOUUUU HOUUU
Il doit y avoir, là-haut, une autre prisonnière !

HUUUUU HOU HOU
Allons la délivrer ! J'ai les clés ! Profitons-en, Barbemauve s'est absenté !
D'accord !

Ça vient d'ici ! Je crois que c'est la bonne clé !
HOUU HUU HOU

!

L'OISEAU BLEU !
TCHIP TCHIP TCHIIIIIP

L'oiseau du bonheur ! L'oiseau qui schtroumpfe le soleil !

Au même moment...
HAAA ! HORREUR ! Le soleil se lève ! Sauve-nous, Maître !
L'oiseau s'est envolé de sa cage, hein ! Je m'en doutais ! HA ! HA ! HA !
© Peyo

Comme les autres, elle n'a pas pu résister à la tentation et a ouvert la cage ! Je lui couperai sa tresse ! YAAAAAA !
7

Le soleil fait fondre la glace !
Et mes frères ? Descendons vite !

?
JE VAIS TE COUPER LA TRESSE ! HA ! HA ! HA !

Viens la chercher, si tu l'oses, vieux barbu !

Ah, la traîtresse !

Laisse-le-nous, on va lui couper la barbe !
Le sort est rompu ! Vous êtes vivants ! La glace a fondu !
Vrai !
Ha, ha, ha !
?!?

YAAAAA
NON ! Pas ma barbe ! PITIÉ ! ARGL !
RHÂÂÂ ! Sauve qui peut !
SNIP

Ha ! Ha ! Ha ! Ils fondent sous le soleil ! Schtroumpfons-les !
PiF
ARGL

Puisse l'oiseau bleu vous schtroumpfer du beau temps dans votre pays, mes amis !
Merci, gentil lutin bleu !
AU SECOURS ! JE NE SAIS PAS NAGER ! JE ME VENGERAI !
Pourrais-tu me schtroumpfer
Oh oui ! Hi, hi, hi !

Adieu, amis !
Alors, tu viens, sœur Anne ?
Attendez ! Elle me schtroumpfe une tresse !
8
FIN

Les Carottes sauvages

LES CAROTTES SAUVAGES

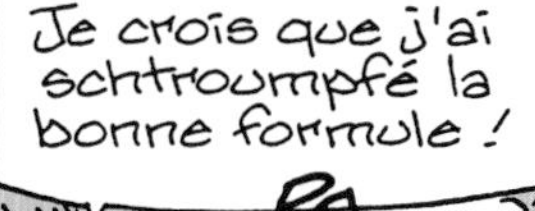

Oui, oui, tu peux schtroumpfer tout ça ici ! De toute façon, mes carottes ne schtroumpferont rien c't'année !
Je suis désolé, j'aurais bien voulu schtroumpfer un superengrais pour tes carottes, mais c'est raté !
GLOU GLOU GLOU

BEEERK ! Ça sent mauvais !
C'est le soufre qui se mélange aux autres schtroumpfs chimiques ! C'est pas grave !
PSCHHHHH

OH, REGARDE ! ÇA SCHTROUMPFE !!

Des carottes géantes ! HOURRA ! J'AI RÉUSSI !
GRRR
RHÂÂÂ !
Fuyons ! Cette carotte est enragée !

L'Apprenti Schtroumpf a fait schtroumpfer des carottes géantes dans mon jardin !
?

Tu n'es qu'un menteur, Schtroumpf Paysan ! Tes carottes sont riquiqui ! Hi ! Hi ! Hi !
Grandes comme ça, j'vous dis, moué ! On a eu peur !!

Trêve de plaisanterie, Apprenti Schtroumpf !
HAAAA AU SECOURS !
Mais c'est vrai, et...
LÀ !

C'est le Schtroumpf Bêta !
Il aurait vu des carottes géantes, lui aussi ?!
Mais c'est la vérité !
Qu'est-ce qui t'arrive, mon gars ?
BOUHOUHOUUU... J'ai été mordu par une carotte sauvage !!
© Peyo
2

Ne bouge pas, Schtroumpf Bêta ! Je vais te schtroumpfer un pansement !
Je... je schtroumpfais des noix dans la forêt, quand tout à coup, une carotte s'est sauvagement schtroumpfée sur moi et m'a mordu le schtroumpf !
Ah ! Tu vois bien que c'est vrai !?
Hum !
Il faut prévenir le Grand Schtroumpf !

Je crois que ce sont mes fioles qui ont schtroumpfé ce phénomène !
Le hasard d'un malheureux mélange... Hum... ce n'est pas si grave !

Courez après ces carottes génétiquement schtroumpfées, et schtroumpfez-leur une pincée de sel rouge sur les feuilles ! C'est un remède radical pour les calmer !
Hi, hi ! C'est drôle !
C'est peut-être dangereux !
Moi, je n'ai pas peur des carottes !
Bravo, Schtroumpf Costaud !
SEL ROUGE

Un peu plus tard...
Où sont-elles, ces terribles carottes ? Hi ! Hi ! Hi !
Chut ! Ça schtroumpfe dans les buissons !

LÀ !
RHÂÂÂ
RHÂÂÂ
?!

GRR RHÂÂÂÂÂ
RHÂÂÂÂÂ
Les carottes sauvages ! Elles schtroumpfent après les lapins !
!

GRRR

Cette carotte a attrapé un petit lapin ! Schtroumpfons-le !
Oh, mon héros !

Lâche-le, gros légume ! Tiens, voilà du sel pour ta schtroumpf !
?!?

Ha ! Ha ! Ça fait de l'effet ! Hi ! Hi ! Hi !
HIK
HIPS

Ça marche ! Schtroumpfez-leur du sel rouge !
BOF

KAYAAA
KAYAA
KAYAA

Voilà pour toi ! Hi ! Hi !
Attention, derrière toi, Schtroumpf à Lunettes !
GRRRRR
?!
ATCHiiiii
ATCHOUM

Le sel rouge ! Schtroumpfe-lui du sel rouge !
À MOI !

Celle-là a son compte !
!
Par ici, vite ! Le Schtroumpf à Lunettes s'est fait schtroumpfer par une carotte !
LÂCHEZ-MOI ! HÂÂÂÂÂ !
ATCH iii
PFRRRT
ATCHOUM
PFFFFFT
© Peyo
4

CLONG

ZOOUP
ATCHIiiiiii

Ils sont schtroumpfés dans un piège de Gargamel !
!
Schtroumpfez-vous ! Le voilà !
OUCH ! AÏE !

Une carotte et un Schtroumpf ! Hé, hé, hé, je n'ai pas perdu ma journée ! Voilà qui me fera un bon pot-au-feu ! Ha ! Ha ! Ha !
!
Aïe !
Zut de zut ! Ma salière s'est renversée sur la carotte ! Elle ne schtroumpfe plus un geste !

Les carottes sont dans les pommes ! Surveille-les, Apprenti Schtroumpf, nous, on va suivre Gargamel !
Miam, miam, j'aime bien les carottes, moi !

Que font-ils ?
Oh là là !

!!
NON ! Ne schtroumpfez pas cette carotte en morceaux, assassin ! C'est une jeune carotte encore vivante ! Je le dirai au Grand Schtroumpf, et...
Et alors ?

Après tout, tu as raison ! Ma grand-mère coupait toujours les carottes au dernier moment de la cuisson pour les jeter dans le bouillon fumant où tu vas mijoter ! Hé ! Hé ! Hé !
Non, attendez, je n'aime pas les carottes, moi !!
5

Au même moment...
Glub... Que nous est-il arrivé ?! Ah oui, je me souviens... le sel rouge !
Attention, ce lutin bleu a une salière rouge en main !

Tu vas nous payer ça ! Où est notre petite soeur ?
At... attendez ! Votre jeune soeur a été schtroumpfée par un vilain sorcier, et euh...
GLOUB...

Un sorcier ?! Quel sorcier ?
Ben... c'est Gargamel ! Il a dit qu'il allait faire de la soupe aux carottes ! C'est bon !
Conduis-nous auprès de ce Gargamel !

Hé, voilà l'Apprenti Schtroumpf avec les carottes !
Mes amis sont là ! Vous leur schtroumpferez si j'ai menti !
?

Il est l'heure de faire des ronds de carotte ! Hi, hi ! Les carottes sont cuites pour toi, ma belle !
!

BOM BOM BOM

BOM BOM BOM
?
AU SECOURS

?!

LÂCHE MA SOEUR OU IL T'EN CUIRA !!
Vo... votre petite soeur ??
À L'AIDE !
Vas-y, frérot !
6

Mais... je... je ne lui voulais pas de mal ! J'aime bien les carottes, moi ! Je les adore ! Je l'ai trouvée morte de faim dans la forêt, alors je voulais juste lui donner un peu de soupe au Schtroumpf pour la réconforter ! Hé, hé...

C'est pas vrai ! IL MENT !!

Il voulait me couper en morceaux ! À MOI, MES FRÈRES !!
NON... NE... AÏE !!
PIF PAF
PIF

PAF PIF
PAF PIF
PAF
ET PAF !
Bien fait !
AU SECOURS ! HÂÂÂÂ !
Hi ! Hi ! Hi !
HA ! HA ! HA !

Assez carotté ! Attrapez-le, on va s'amuser !

HAAAAAAA
GRRRR
RHÂÂÂÂ
GRRRR

Ouf ! Je commençais à schtroumpfer de chaleur dans ce potage !

Je te présente la petite sœur des carottes géantes ! Elle te remercie de l'avoir sauvée !
Je vous dois une fière carotte !
Tout ça, c'est à cause de l'Apprenti Schtroumpf, et...
Hé ! Venez voir dehors ! C'est comique !
© Peyo

OH !
Hi ! Hi ! Hi !
7

Un bon bain d'orties te fera du bien ! Ha ! Ha ! Ha !
NON, NON... Ça pique !! RHÂÂÂ !
Avec des araignées et des fourmis ! Gni ! Gni ! Gni !
KAYAA
KAYAAA
BRAVO !
YOULOU YOULOU

Et du sel rouge ! Hou ! Hou ! Hou !
ATCHIiii

Le sel magique fait son schtroumpf ! Il dort déjà ! Ha ! Ha ! Ha !
RZZZ
RZZZZZZ

Le lendemain matin...
Eh bien, messire, vous prenez votre bain de bon matin !
Hein !?!... Quoi ?
Qui es-tu ? Que veux-tu ?

Je vais au marché vendre mes carottes ! Vous aimez les carottes ?
QUOi ?!

Je déteste les carottes autant que les Schtroumpfs, et je me vengerai !!!
MES CAROTTES !!
AÏE !
PAF
PAF
PAF

Je vous jure, Mathilde, j'ai vu une carotte poursuivant un lapin !
Allons, allons, Philibert ! On a encore bu trop de vin clairet, ce matin ? Ivrogne, va !
RHÂÂÂÂ
© Peyo

Eh bien, vous venez ?
Attends, j'écoute le cri de la carotte sauvage au fond des bois !
RHÂÂÂÂ RHÂÂÂ
8
FIN

Grossbouf et les lézards

GROSSBOUF ET LES LÉZARDS

© Peyo 1

Hé ! Hé ! C'est bien ce que j'espérais !
GNiiiii GNiiGROU
?
GNiiiiii

GNiAP
MiAUW

Je te préviens tout de suite, ces deux lézards n'obéissent qu'à qui sait les commander et adoptent le caractère de leur nouveau maître !
MNiAM GROMPF SLURP
CRONK MiOM

Alors, CALMEZ-VOUS !! Nous partons illico à la chasse aux Schtroumpfs !!
Pour ça, pas de problème ! Ces créatures ont été dressées pour ça ! Je les ai nourries à la salsepareille !
Il y a encore du jambon ?
SCRUNCH GLOUB MiOM CROC SLURP
GRAAAA
GNi GNi GNi

Et là où il y a de la salsepareille, il y a du Schtroumpf !!
C'est terrible ! Il faut vite schtroumpfer l'alarme !!!
?

DES SCHTROUMPFS QUI S'ENFUIENT ?! ATTRAPEZ-LES TOUS !!
Nous sommes repérés ! Schtroumpfe qui peut !
GNiii GNiiii
GRAÂÂÂÂÂ

HAAAA!
FUYEZ, MES AMIS !!
SLURP

Bravo ! Vous voyez, ça, c'est un Schtroumpf !
LÂCHEZ-MOi !
SLURP MiAM
SLURP

Vous aurez une récompense pour chaque Schtroumpf capturé ! Compris ?
GRRR GROM
HAAAAA
GNi GNi GNi

Les lézards ont pris le Schtroumpf à Lunettes !
Ils nous poursuivent ! Hiiiiiii !!
2

Un peu plus tard...
Où est le Grand Schtroumpf ?! C'est urgent !
Dans son laboratoire... Attendez un peu, il schtroumpfe une expérience avec le Schtroumpf Grognon, et...

Grand Schtroumpf ! Grand Schtroumpf !
Un instant ! Je voudrais schtroumpfer ce parfum de gentillesse sur le Grognon, et...
Je n'aime pas la gentillesse !

MAIS...
CHUT ! Je schtroumpfe mon parfum !
Beerk ! Je déteste le parfum !
PSCHHH

ATCHIIIIII
ATCHOUM
ATCHOUM

Ce sera une réussite s'il ne râle plus... ne fût-ce qu'un moment !
?
Hic !

Oh ! Ce parfum est schtroumpfement exquis ! MMMH !!!
Ça a schtroumpfé ! Hi ! Hi ! Je le savais !

Bonjour Schtroumpfette ! Vous êtes si belle ce matin !
Je suis content de mon schtroumpf de gentillesse !
Oh, c'est gentil, Schtroumpf Grognon !

Nous sommes en danger, Grand Schtroumpf ! Grossbouf a schtroumpfé des lézards à Gargamel pour nous schtroumpfer !!!

Oui ! Des lézards VERTS !
Et ils ont capturé le Schtroumpf à Lunettes !
J'ai ici un grimoire où l'on parle de lézards...
Lézard Vert
Ce gros lézard importé des îles est sensible à l'odeur de la salsepareille. On peut le dresser à attraper des Schtroumpfs, qu'il capture avec sa langue gluante.

C'est horrible ! Ils vont nous schtroumpfer tous !!!
3

D'après ce grimoire, ces lézards obéissent à tout nouveau maître selon le caractère de celui-ci !
Selon le caractère du maître?
C'est Gargamel, leur maître !!
Moi, j'aime bien Gargamel !

C'est à nous de capturer ces lézards et ils nous obéiront ! J'ai une idée !

Nous sommes volontaires pour schtroumpfer ces ★@!✳ de bestioles !
Prenez ces flacons de parfum de gentillesse ! Ça peut toujours schtroumpfer !
Mmmh ! Ça sent bon !
PSCH PSS PFF
?

Tu gaspilles le parfum, Schtroumpf Coquet ! Ça ne schtroumpfe que sur les méchants et les grognons, pas sur les gentils comme toi !
PSCH PSCH

Au même moment...
Ils ont l'air de savoir où ils vont ! Attendez-moi !!!
Lâchez-moi tout de suite, ou je...
GRAAAAA
GNI!!! GNI!!

AH!
ZIP

PLOUF
HAAAAAA

REVENEZ !! @!✳✶
Ils ne m'entendent pas ! Ils sont déjà trop loin ! GRMBLLL !
Tant mieux ! Hi ! Hi !
GRAAA GROM GRRR
4

Un peu plus tard...
MES SALSEPAREILLES !! AU SCHTROUMPF !!
MIOM GROMPF SCRUNCH SLURP MIAM
SNIF SNIF SNIF
Psst ! Les voilà !
Ils sont plus grands que je ne le schtroumpfais ! J'espère que mon schtroumpf de gentillesse les schtroumpfera !
C'est l'odeur de la salsepareille qui les schtroumpfe !
Schtroumpfez-vous de leur langue gluante !
Moi, j'ai peur !

RRRRRRR
AU SECOURS !
PSCH PSCH

GRRRRRR
Hiiiiii !

À L'ATTAQUE ! SCHTROUMPFEZ-MOI !

KAYAA !!
Un pour schtroumpf et schtroumpf pour un !!
PSCH PSCH
Hiiiii
Lâche la Schtroumpfette !

Ça schtroumpfe ! Il a schtroumpfé la Schtroumpfette ! VICTOIRE !!!
PSCH PSCH
Ouf !
© Peyo

ARGL ARGL
Bon ! Ça suffit ! Je crois qu'ils ont leur dose de schtroumpf de gentillesse !
PSCH
Moi, j'aime bien les lézards ! Hi ! Hi !
5

Prenez ces schtroumpfs de parfum de salsepareille et suivez-moi ! Il faut éloigner ces voraces lézards de notre village, car l'effet de gentillesse ne schtroumpfera pas longtemps !

Il faut les schtroumpfer fermement ! C'est ce qu'a dit Grossbouf !
J'ai compris ! À toi, Schtroumpf Costaud !
ALLEZ ! SUIVEZ-NOUS ! C'EST UN ORDRE !!

SNIF
SNIF
C'est le seul moyen de les éloigner du village !
PSCH
PSCH
PSCH

FICHEZ LE CAMP ! GRMBL !!!
Bravo, Grand Schtroumpf ! Ils schtroumpfent le parfum de la salsepareille ! Hi ! Hi ! Hi !
Grossbouf les a élevés ainsi pour qu'ils nous schtroumpfent !
PSCH
PSCH
PSCH

Mais il a commis une erreur ! Ces bestioles sont trop bêtes pour faire la différence entre l'odeur de la salsepareille et un Schtroumpf !
PSCH

PSCH
PSCH
Beeerk ! Ça sent la salsepareille !
?

ATTENTION ! GARGAMEL !!
RHAAA
À L'AIDE
SLURP
SNIF

Schtroumpfez-le de schtroumpf de salsepareille !
HUMPF
!?
PSCH
PSCH
© Peyo

À VOUS, LES LÉZARDS ! SCHTROUMPFEZ-LE !!!
Ouf !
MAIS ?!?
SNIF SNIF
PSCH
7

Ah, te voilà, toi ! Il n'y a plus rien à manger chez toi et j'ai faim, moi !
Mais... je... je... AÏE !
GNIAP !

FIN

Motro, le monstre de la forêt

MOTRO, LE MONSTRE DE LA FORÊT

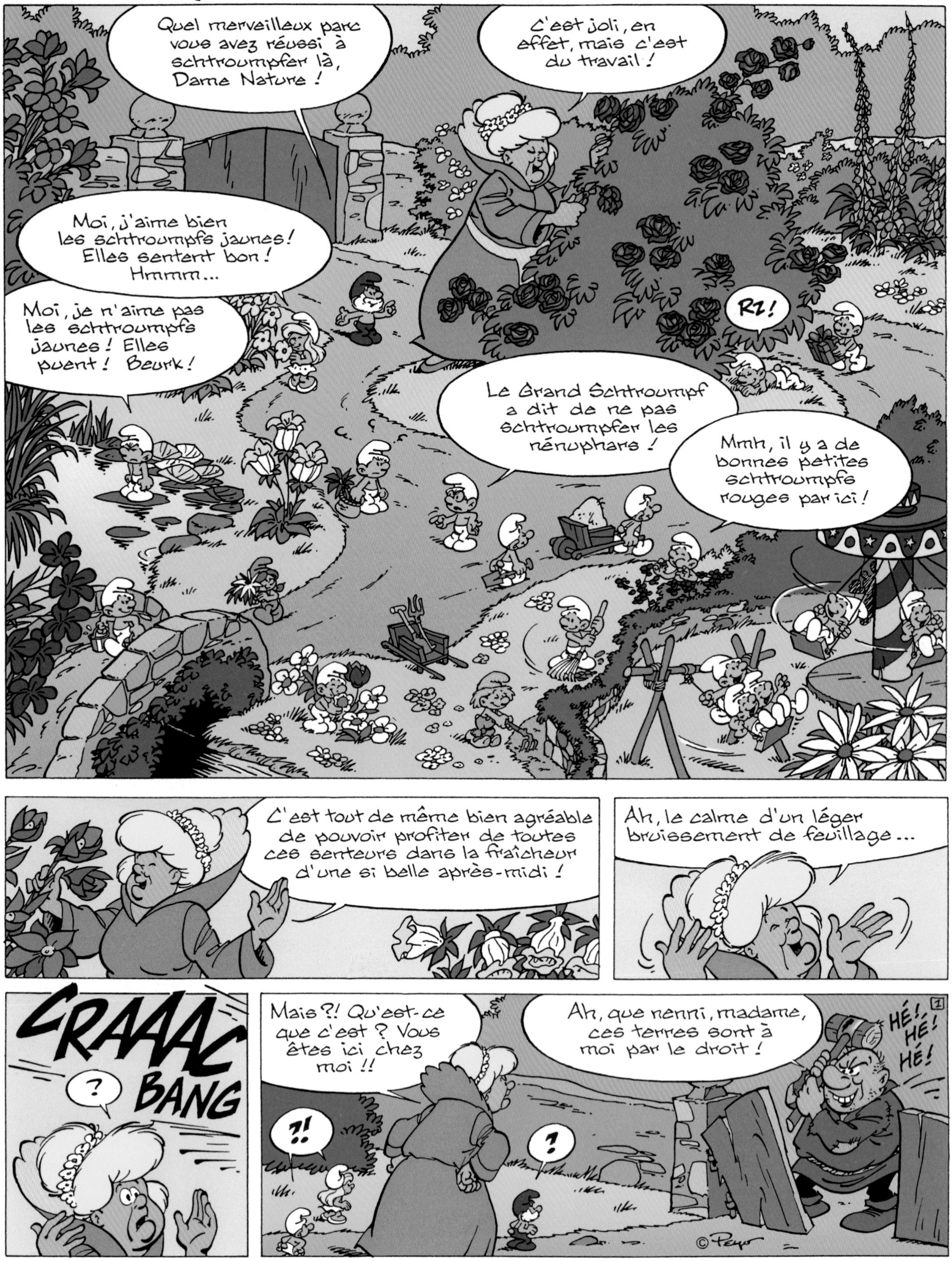

Quel merveilleux parc vous avez réussi à schtroumpfer là, Dame Nature !
C'est joli, en effet, mais c'est du travail !
Moi, j'aime bien les schtroumpfs jaunes ! Elles sentent bon ! Hmmm...
Moi, je n'aime pas les schtroumpfs jaunes ! Elles puent ! Beurk !
RZ !
Le Grand Schtroumpf a dit de ne pas schtroumpfer les nénuphars !
Mmh, il y a de bonnes petites schtroumpfs rouges par ici !

Mais que voulez-vous? Qui êtes-vous!?
Je m'appelle Grosgras! J'ai acheté au bailli tous ces bois pour tout arracher et y faire paître mes vaches!

QUOI ?! Des vaches, dans MON parc ?!
Assez perdu de temps! Allez-y, vous autres! Flanquez-moi tout ça en l'air!

Hé! Ne schtroumpfez pas nos balancelles!
Maître Grosgras a dit de tout casser!

HAN!
CRAAAC
C'est un fou!
BAM

OH! Mes potentilles! NON!
Coupez ces taillis, c'est plein de lutins là-dedans!

Laissez-moi poursuivre ces lutins bleus et je vous rapporterai les plus beaux chênes qu'ils protègent!
Soit, mais fais vite!

NON! Vous ne pouvez pas toucher au chêne centenaire !!
Tais-toi, grosse vache!
Nous ne vous laisserons pas schtroumpfer cet arbre!
Ha! Ha! Ha! Écartez-vous, minus!
© Peyo
2

À MOI, LES FEUX FOLLETS DE LA FORÊT !!!

On n'a pas peur de tes feux follets, vieille femme !
HA ! HA ! HA !
FLEBELEB !
HÉ ! HÉ ! HÉ !

MOTRO viendra ! MOTRO est l'âme damnée de la forêt ! Il détruira tout sur son passage !
BOM-BOM
BOM
BOM
BOM
BOM

BOM
BOM
BOM
Qui est ce Motro ?
Un monstre ! Il va nous anéantir ! Mes pouvoirs ne peuvent rien contre lui !
BROMMMM
BROOOMM
BROMMM
BOM

RHAAAAAA
CRA
AAC
Hé, hé, vas-y, Motro ! Écrase-les tous ! Hi ! Hi ! Hi !
BROM

CRAAC
RHAAAA
Il schtroumpfe tous les arbres à terre ! Schtroumpfez-vous tous au village !

BROM
Hiiiiiii !
BROM
3

Par là, Motro ! Arrache tous ces arbres ! On découvrira peut-être le village de ces idiots de Schtroumpfs, et Gargamel nous récompensera !

Ils sont là !
CRAAC
RHAAAA
Il nous poursuit ! Il risque de schtroumpfer notre village !
J'ai une idée ! Schtroumpfez-moi là-haut !

Attention ! Le voilà ! Schtroumpfez tout !
On les aura !
HA ! HA ! HA !
RHAAAA

Âh ! Les traîtres ! C'était un piège !
POC

HOURRA ! On a réussi !
Euh, non ! Regardez !

RHAAAAAA

Ils me le payeront ! Pas de quartier ! Attrape-les tous, Motro !
RHAAAAAAAAAAA
Hiiiiii

Seul Homnibus peut nous schtroumpfer de cette créature démoniaque !
BROMBROM
Il arrive !
BROM
4

Un peu plus tard...
Nous avons un gros problème, Homnibus! Un monstre qui schtroumpfe tout et...
Motro! Je sais tout! Suivez-moi!

Ici se cache l'ennemi mortel de Motro! Le papillon noir à deux têtes!

Radzor est le seul à pouvoir vous débarrasser de Motro! S'il le pique dans son cou, il pondra ses œufs sous l'écorce du monstre qui sera rongé de l'intérieur par les larves qui s'y développeront...
!

RHAAAA!
RHAAA!

On l'accompagne!
Bonne chance!
FLAP
FLAP
FLAP
GRRR BZZ BZZ
FLAP
GRRRRR
FLAP
FLAP
Soyez prudents!
RHAAAAA

Ils réussiront!
Espérons-le! Merci, Maître Homnibus!

Il est là!
À l'attaque, Radzor!
?
RHAAAA
5

Maudits Schtroumpfs ! Ils ont ramené Radzor, le papillon noir !
RHAAA
FLAP FLAP FLAP
GRRR BZZZZ
BZZZZ GRRRR
Par ici, Schtroumpfette ! Ne laissons pas schtroumpfer ce vieux lutin !

C'est moi qui te tiens, vilaine !
AU SECOURS HIIIII

Prends ça, vieux lutin !
POC
HI ! HI ! HI !
AÏE

RAHÛÛÛÛ
RAHIIIIIII
BZZ BZZZZ
GRRRRRRR
KAÏK-KAÏK
HÛÛÛÛÛÛ
PAF PAF
PAF PAF

RAHUUUUUU
KAÏK
FLAP
FLAP FLAP
KAÏK
Radzor a réussi à schtroumpfer ses oeufs dans le schtroumpf de Motro ! Il est foutu !

Tout est fini ! Motro n'est plus, Dame Nature ! Vous pouvez schtroumpfer sans crainte avec tous vos petits animaux !
CRÂÂÂC
BROUF
6

Regardez ça ! C'est extraordinaire ! C'est de la magie !
OH ! Ça alors ! Motro, le monstre de la forêt, se transforme !
Voyez ces feuilles et ces fleurs qui schtroumpfent sur tout son corps !
Ouais ! C'est toujours comme ça ! C'est horriblement merveilleux, et il va se transformer en massifs de fleurs colorées qui puent bon !

Oh, les jolies tulipes ! **ABRACADABRA** ! Hi ! Hi ! Quelle joie de retrouver mon joli parc ! Hi ! Hi !

Moi, je schtroumpfe les nénuphars !

J'adore schtroumpfer sous les glycines !

QUE SE PASSE-T-IL ICI ?? GRMBL !
?
?

Encore vous !?
J'ai acheté ces terrains pour en faire des prairies pour mes vaches et pas un parc d'attractions !
Maître Grosgras !
?
© Peyo
7

Ne vous énervez pas ! Vous piétinez mes glaïeuls !
Ce document en atteste ! J'ai le droit pour moi ! Déguerpissez, et vite ! OUSTE !
Attention, maître ! Ils sont rusés !

ÇA SUFFIT ! JETEZ CES GENS HORS DU PARC ET SACCAGEZ TOUT !

Attendez un peu... nous avons un ami qui peut résoudre ce petit différend tout de suite, n'est-ce pas, Grand Schtroumpf ?
Oh oui ! Hi ! Hi !
CLAP CLAP CLAP

BZZZZ BZZZ BZZZZZZ
FLAP FLAP FLAP
?!
?

Vous oubliez votre document, mon ami !
Je crois qu'on ne schtroumpfera pas de vaches dans ce coin avant longtemps ! Hi ! Hi !
FLAP FLAP FLAP FLAP FLAP
SCRITCH
SCRATCH
HA ! HA ! HA !
FLEBELEB
Enfin un peu de calme ! Et si on schtroumpfait une petite fête dans ce parc ?
HI ! HI !
OH OUI !
GRMBL
HAAAA AU SECOURS !
FIN
© Peyo
8

© PEYO